ZOOM

SUR LE CLIMAT

Hachette Jeunesse
Frédérique de Buron
Directeur

Emmanuelle Massonaud
Directeur éditorial
Angela Gilles, Marie Renault
Éditeurs
Avec la collaboration de Jacqueline Blaise

AREVA
Bertrand Barré
Directeur au Secrétariat Général

Rédaction
Laurent Romejko

Infographies
agence WAg

Monsieur Charbo

Coordination
Luigi Di Girolamo

Mise en pages
Monsieur Charbo

Crédits photos
Depression Ewiniar, p.7, AFP
Intempéries, p.13, AFP
Madagascar, p.15, AFP
France-Intempéries-Forêt, p.20, AFP

© Hachette Livre, 2001

29.28.1945.01/4 - ISBN: 2.01.291945.6
Dépôt légal: 14149 - octobre 2001
Imprimé et relié en France par Pollina - L84377
Loi n° 49-956 du 16 juillet 1949 sur les publications destinées à la jeunesse

zoom

SUR LE CLIMAT

HACHETTE
Jeunesse

AREVA

SOMMAIRE

Saisons capricieuses, terribles tempêtes, cyclones et orages dévastateurs, sécheresses ou inondations record... Au quotidien, le temps donne l'impression de se détraquer et ne ressemble plus vraiment à celui d'hier. Le climat serait-il en train de changer ?

En réalité, la Terre connaît depuis toujours des variations climatiques, parfois même extrêmes. Le trio Terre-atmosphère-Soleil est un formidable chauffage central, dont l'équilibre fragile est en perpétuel mouvement.
Mais si l'évolution du climat est naturelle, son réchauffement rapide, observé depuis près d'un siècle, constitue une donnée nouvelle qui est liée aux activités des hommes.

Depuis plusieurs années, des efforts ont été faits pour mettre en œuvre des accords internationaux permettant de lutter contre le réchauffement planétaire. Mais il est peut-être aussi important que chacun de nous, au lieu de céder au catastrophisme, prenne conscience des mécanismes climatiques, pour adopter, dès maintenant, des habitudes de vie plus respectueuses de l'environnement.

Notre envie est donc de vous présenter le fonctionnement du climat terrestre et son histoire pour essayer d'envisager ensemble l'avenir de notre planète.

Nos ancêtres, persuadés que les intempéries traduisaient la colère des dieux, étaient peut-être plus attentifs vis-à-vis de la nature. Aujourd'hui, grâce aux connaissances que nous apportent les progrès de la science, c'est à nous tous d'être réalistes et citoyens afin de préserver celui qui permet et protège la vie sur notre planète : le climat.

Autour de la Terre, l'atmosphère forme une épaisse enveloppe de gaz toujours en mouvement. C'est la circulation des masses d'air atmosphérique qui détermine fondamentalement le temps qu'il fait.

La circulation
atmosphérique

La force de rotation de la Terre déviant les masses d'air en altitude, les échanges de chaleur entre l'équateur et les pôles ne s'effectuent pas directement , mais par étapes, au sein de cellules convectives.

Cellule de Hadley
Au-dessus de l'équateur, l'air chaud se divise en altitude et se dirige vers les deux pôles. Refroidi, asséché et dévié, cet air redescend vers 30° de latitude pour constituer l'anticyclone boréal dans l'hémisphère Nord, et austral dans la moitié sud.

Cellule de Ferrel
Elle dirige de l'air tropical doux et humide vers le 60ᵉ parallèle et alimente les zones dépressionnaires australes et boréales.

Cellule de Ferrel

Cellule polaire

Cellule de Hadley

D

A

D

D

Pôle Nord

Front polaire

Jet-stream

Tropique du Cancer

Parallèle

Alizés

Cellule de Ferrel

Tropique du Capricorne

Équateur

Cellule de Hadley

A Anticyclone

D Dépression

S

Front chaud
Front froid
JAPON

Dépression

Anticyclone

L'atmosphère, comme toute matière, a un poids. Un litre d'air pèse 1,2 gramme, ce qui paraît négligeable. Mais une colonne d'air mesurant 500 km de haut, sur une base d'1 m^2, pèse environ 600 tonnes.

La pression atmosphérique

L'air exerce donc une pression sur le sol, qui varie en fonction de la température : quand il fait chaud, l'air se dilate et s'allège. En revanche, il est plus dense et s'alourdit lorsqu'il fait froid. Or, sur notre planète, toutes les latitudes ne profitent pas du même ensoleillement et il fait beaucoup plus chaud à l'équateur qu'aux pôles. À l'équateur, l'air chaud et léger monte. La pression atmosphérique (le poids de l'air) est basse : c'est une dépression. Aux pôles, l'air froid et lourd est plaqué au sol. La pression exercée par l'atmosphère est élevée : il se forme des anticyclones.

La rotation de la Terre

Si la Terre ne tournait pas sur elle-même, les mouvements atmosphériques se limiteraient à un échange entre l'air chaud de l'équateur et l'air froid des pôles. Mais la rotation de la Terre dévie ces courants d'air vers l'est dans l'hémisphère nord, vers l'ouest dans l'hémisphère sud. Ce phénomène s'appelle la force de Coriolis, et complique tout !

L'air chaud qui s'élève de l'équateur est donc dévié. Il retombe ensuite au niveau du 30e parallèle pour former une zone de hautes pressions, c'est-à-dire un anticyclone. Puis, cette masse d'air réchauffée par le sol remonte à nouveau et dévie à la hauteur du 60e parallèle pour constituer cette fois une cellule dépressionnaire.

En Europe, au niveau de la mer, on retrouve ainsi le fameux anticyclone des Açores aux alentours du 30e parallèle et la dépression d'Islande au voisinage du 60e parallèle.

Les vents

En altitude, les échanges de chaleur et les variations de pression sont encore plus contrastés et engendrent des vents puissants. De l'équateur aux pôles, plusieurs boucles de vents se juxtaposent. Au-dessus des tropiques, à 9 000 m d'altitude, soufflent des courants violents appelés jet-streams, qui peuvent dépasser 400 km/h ! Ils alimentent les alizés qui soufflent d'est en ouest tout au long de l'équateur.

Anticyclones
et **dépressions**

Lorsqu'un anticyclone se forme au-dessus de l'archipel des Açores, au large du Portugal, la France a une chance de voir le soleil ! Mais quand une dépression apparaît sur l'Islande, au nord de l'océan Atlantique, gare au mauvais temps !

Pour connaître le temps qu'il fait, les météorologues relèvent au même moment, en différents lieux de même altitude, les pressions atmosphériques. Ces valeurs sont variables et se mesurent avec un baromètre, l'unité de mesure étant l'hectopascal (hPa).

Hautes et basses pressions

Les valeurs identiques sont reliées entre elles, et dessinent des courbes, appelées isobares. Elles permettent de distinguer des zones de basses et de hautes pressions. La pression normale de l'atmosphère est de 1 013 hPa. Si l'isobare se situe au-dessous de cette normale, elle identifie une dépression. Au-dessus de la normale, il s'agit d'un anticyclone. D'une manière générale, l'anticyclone est synonyme de ciel clair, et la dépression correspond à un temps nuageux, voire pluvieux. La différence s'explique par les mouvements d'air à l'intérieur de ces zones. L'anticyclone transporte vers la Terre de l'air sec venant d'altitude. La dépression fait remonter de l'air doux et chargé d'humidité au contact de l'océan, qui donne naissance aux nuages en altitude.

Les changements du temps

Localiser les anticyclones et les dépressions permet donc de comprendre la situation météorologique du moment, mais aussi de saisir son évolution. En relevant les données fournies par les baromètres toutes les 3 heures, on parvient à distinguer les hausses et les baisses de pression à l'intérieur des différentes zones, ainsi que le déplacement des masses d'air.

Le tracé des courbes isobares permet par ailleurs de définir la direction du vent, qui est toujours parallèle aux lignes. La vitesse du vent, elle, est proportionnelle à l'écart entre les courbes isobares. Une différence de pression sur une courte distance entraîne en effet un courant d'air rapide : ainsi, plus les lignes sont serrées, plus le vent est fort.

L'anticyclone, comme un pneu trop gonflé, évacue l'air vers l'extérieur, mais se réalimente constamment par le haut, en son centre : le mouvement est descendant. Cet air provenant d'altitude est sec et garantit un ciel bien dégagé.

A

Courbe isobare

Dépression

Basses
pressions

La dépression aspire l'air sur les côtés et l'évacue par le haut en son centre : le mouvement est ascendant. En se refroidissant en altitude et en se saturant (le taux d'humidité est proche de 100 %), la vapeur d'eau qui monte de la Terre se transforme en fines gouttelettes (condensation) et donne naissance au nuage.

D

Front froid

Vent

Front chaud

Les **précipitations**

Crachin ou pluie battante, grêle dévastatrice pour les cultures ou neige, l'or blanc des stations de ski... chaque minute, il tombe du ciel près d'un milliard de tonnes d'eau.

Cristaux de glace

Air froid

La pluie

Les nuages sont composés de fines gouttelettes d'eau en suspension dans l'air, qui se télescopent, s'associent et donc grossissent. La gouttelette devient alors trop lourde pour flotter dans l'atmosphère et tombe en rassemblant encore d'autres gouttelettes sur son passage. Quand le nuage est mince, les gouttes sont fines : c'est la bruine ou le crachin.

En revanche, lorsque le nuage est très développé en altitude, des cristaux de glace se forment à son sommet où il fait froid. Ils tombent en se soudant entre eux puis fondent en se réchauffant au cours de leur chute pour donner de grosses gouttes de pluie.

Condensation

Air chaud

Pluie

Brouillard

Sol chaud

Sol gelé

Verglas

Le brouillard

Lorsque, au niveau du sol, l'air est saturé en humidité, une nappe de brouillard se forme — souvent aux premières heures du matin —, quand le Soleil vient réchauffer la Terre. Comme un nuage, le brouillard est constitué de très fines gouttelettes d'eau qui proviennent de la condensation de la vapeur d'eau (l'humidité du sol).

Le verglas

Le verglas se forme sur un sol humide dont la température devient négative. On parle de brouillard givrant quand les microgouttelettes du brouillard gèlent au contact du sol, ou de pluie verglaçante quand c'est l'eau de pluie qui se transforme en glace en tombant sur le sol gelé.

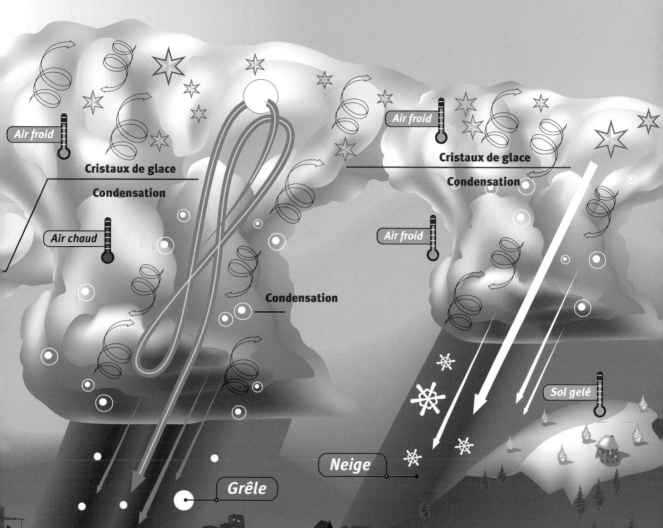

Air froid

Cristaux de glace

Condensation

Air chaud

Air froid

Cristaux de glace

Condensation

Air froid

Condensation

Sol gelé

Neige

Grêle

La grêle

C'est dans le cumulonimbus, un nuage très développé verticalement (voir page suivante), que naît la grêle. Au sommet, à environ 10 km d'altitude, les gouttelettes d'eau gèlent. Dans ce type de nuage, froid au sommet et chaud à la base, le mouvement ascendant est si puissant que lorsqu'ils tombent, les cristaux de glace sont à nouveau aspirés vers le haut du cumulonimbus. Une nouvelle couche de glace enrobe alors le grêlon qui va ainsi effectuer de nombreux allers et retours jusqu'à ce qu'il soit suffisamment lourd pour tomber au sol. Sa taille dépend du nombre de va-et-vient et varie de 0,5 cm à plus de 5 cm parfois. Le 11 août 1958, lors d'un orage sur l'Alsace, un grêlon de 972 grammes a été pesé !

La neige

La température du nuage doit être négative sur toute sa hauteur pour que se forme la neige. Les gouttelettes d'eau gèlent et se cristallisent. Ces cristaux s'assemblent ensuite entre eux pour former un flocon et tombent quand ils s'alourdissent. Pour que le flocon atteigne intact le sol, la température ne doit pas dépasser 2 à 3°C. Les formes de flocon sont très variées et dépendent du type de nuage. Néanmoins, tous les flocons de neige ont une caractéristique commune : ils sont toujours composés de 6 branches.

A

1

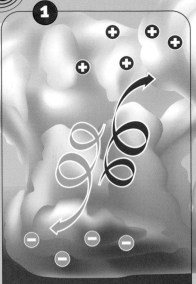

À l'intérieur du cumulonimbus (nuage d'orage), les fortes turbulences fabriquent de l'électricité par frottement. Les charges électriques se séparent alors : les négatives se concentrent à la base du nuage et les positives au sommet.

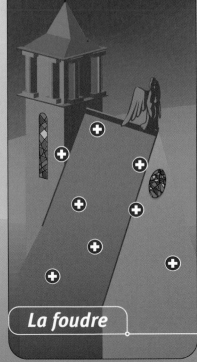

2

Les importantes différences électriques déclenchent une double décharge (la foudre), à l'intérieur du nuage et entre celui-ci et le sol. Elle part en zig-zag de la base du cumulonimbus jusqu'à environ 100 mètres du sol. Sur le passage de la foudre, l'air s'échauffe à 30 000°C : c'est l'éclair.

3

Une autre décharge part du sol et utilise alors le chemin le plus court (clocher, arbre, paratonnerre, etc.) pour rejoindre la première : l'échauffement brutal de l'air traversé par la foudre provoque un nouvel éclair, tandis que gronde le tonnerre, par lequel se manifeste le choc produit par la dilatation et la compression de l'air brutalement échauffé.

La foudre

L'orage

L'orage est l'un des phénomènes météorologiques les plus redoutés. Car, dans son sillage, viennent la foudre qui tue entre 15 et 40 personnes chaque année en France, la grêle et les rafales de vent dévastatrices et les pluies diluviennes qui peuvent provoquer, surtout en montagne, des crues de rivière subites et parfois meurtrières.

Les orages se forment et se déclenchent lorsque l'écart entre la température du sol — chaud — et celle de l'air en altitude — froid — est supérieur à la normale. Ce contraste engendre une forte instabilité atmosphérique. D'importantes masses d'air s'élèvent du sol pour former le plus gros nuage qui existe : le cumulonimbus, qui atteint 10 km de hauteur !

Un affrontement violent

Dans un tel nuage, l'affrontement est intense entre l'air doux qui monte et l'air froid qui descend, ce qui engendre des vents forts et des précipitations exceptionnelles. L'orage qui s'est abattu sur la région nîmoise le 3 octobre 1988 a ainsi déversé jusqu'à 400 litres d'eau par m² !

Des millions d'éclairs

Mais ce qui caractérise le cumulonimbus, c'est le phénomène électrique. En 1752, le physicien américain Benjamin Franklin, dans un éclair de génie, mit en évidence cette électrisation de l'atmosphère en lâchant sous un orage un cerf-volant relié à la terre par un fil conducteur. La foudre frappa le cerf-volant plutôt que les bâtiments et les arbres qu'il survolait, et la décharge électrique fut transmise directement au sol, épargnant les biens et les personnes. Le paratonnerre était né.

Aujourd'hui, on estime que la Terre reçoit environ une centaine d'éclairs par seconde, soit huit millions par jour sur toute la planète !

? Le saviez-vous

Événement météorologique local par excellence, l'orage est difficilement prévisible. On peut tout au mieux évaluer le risque orageux pour une région. Le 22 septembre 1992 les bulletins météo annonçaient ainsi de violents orages dans le Vaucluse. L'un d'eux, dévastateur et meurtrier, éclata sur Vaison-la-Romaine alors que quelques kilomètres plus loin le tonnerre ne gronda même pas... Ce jour-là, il n'y a pas eu d'erreur de prévision ; les météorologues sont allés au maximum de leurs possibilités.

Alerte au **cyclone !**

Les météorologues leur donnent de doux prénoms : Alberto, Carlotta ou Oscar... Mais ces puissants tourbillons que sont les cyclones tropicaux sèment la désolation sur leur passage. En 1998, le cyclone Mitch, l'un des plus puissants de l'histoire, causa la mort de 11 000 personnes en Amérique centrale.

Le cyclone

Condensation de l'air

Air chaud très chargé d'humidité

Œil du cyclone

Océan

La tornade

La tornade se manifeste sous les cumulo-nimbus les plus importants lorsque le contraste air chaud/air froid conduit aux situations orageuses les plus explosives. Ce tourbillon n'excède pas quelques centaines de mètres de diamètre et prend l'allure d'une colonne en forme d'entonnoir entre le nuage et le sol.

Au cœur de cette « trompe d'éléphant », la pression est extrêmement basse et les vents peuvent atteindre près de 500 km/h. La tornade arrache tout sur son passage. Le phénomène est bref et très localisé, mais c'est le plus destructeur qui existe. En mer, la tornade s'appelle une trombe.

Tornade

L e cyclone est une dépression qui se forme sur l'océan au niveau des tropiques, dans une eau dont la température est au minimum de 27°C. Dans ces conditions humides et chaudes, les mouvements ascendants de l'air se font toujours plus puissants au centre de la dépression. L'humidité qui s'élève se condense en altitude en libérant de la chaleur. Cet apport thermique supplémentaire réduit encore la pression atmosphérique au niveau de la mer : la dépression se creuse et les courants ascendants s'accélèrent.

Dans l'œil du cyclone

La dépression devient tempête tropicale puis cyclone à mesure que les vents forcissent, atteignant un minimum de force 12 (plus de 118 km/h). Les nuages orageux tourbillonnent si rapidement qu'ils s'écartent du centre de la dépression, par la force centrifuge : ainsi se forme l'œil du cyclone où le ciel est dégagé et où règne un calme provisoire. Tout autour, les rafales de vent atteignent souvent 200 km/h et frôlent parfois les 300 km/h pour les plus violents ! Les pluies sont diluviennes.

S'il se déplace lentement, à environ 20 km/h, le cyclone dégage une telle énergie qu'il est relativement indépendant par rapport à la circulation atmosphérique générale. Il est donc difficile de prévoir la direction qu'il va emprunter.

Des murs d'eau

Aux dégâts provoqués par la pluie et le vent, s'ajoutent ceux de la « marée de tempête ». Dans l'œil du cyclone, la pression atmosphérique est si basse que l'eau remonte par aspiration. Cet effet vient grossir les vagues engendrées par le vent. En 1970 dans le golfe du Bengale, on a vu le niveau de la mer s'élever de 12 m ! Ce raz-de-marée a tué plus de 300 000 personnes au Bangladesh. Le cyclone ne meurt que lorsque, abordant la terre ferme ou remontant vers des eaux plus froides, il cesse d'être alimenté en air humide et chaud.

L'échelle de Beaufort

Inventée par Francis Beaufort, un amiral britannique, en 1805, cette échelle, graduée de 0 à 12, permet d'estimer la force du vent selon l'état de la mer et inversement. Initialement destinée à harmoniser et rendre plus fiables les journaux de bord des marins, l'échelle de Beaufort est aujourd'hui une mesure universelle.

Force — **Vitesse du vent**

12 — 118 km/h et plus. Ouragan. Mer énorme (plus de 14 m).

11

10 — 89-102 km/h. Tempête. Mer très grosse (9 à 12,5 m).

9 — 75-88 km/h. Fort coup de vent. Mer grosse à très grosse (7 à 10 m).

8

7 — 50 à 61 km/h. Grand frais. Mer très forte (4 à 5,5 m).

6 — 39-49 km/h. Vent frais. Mer forte (3 à 4 m).

5 — 29 à 38 km/h. Bonne brise. Mer agitée (2 à 2,5 m).

4

3 — 12 à 19 km/h. Petite brise. Mer peu agitée (vagues de 1 à 1,5 m).

2

1 — 1 à 5 km/h. Très légère brise. Mer calme, ridée.

0 — Inférieure à 1 km/h. Mer calme.

Prévoir le temps, c'est d'abord bien l'observer. Depuis toujours, en scrutant le ciel, nos ancêtres ont inventé des dictons : « Noël au balcon, Pâques aux tisons », « soleil à la Chandeleur, l'hiver reprend rigueur... ». Certains de ces proverbes peuvent se vérifier, mais voyagent très mal. Même si les météorologues disposent aujourd'hui d'instruments sophistiqués, la prévision n'est pas une science exacte. Elle est néanmoins de plus en plus fiable...

Les moyens d'observation

Partout dans le monde et plusieurs fois par jour aux mêmes heures, les météorologues effectuent des mesures : de la température avec un thermomètre, de la pression atmosphérique à l'aide d'un baromètre, du taux d'humidité (quantité de vapeur d'eau contenue dans l'air) avec un hygromètre, de la vitesse du vent avec un anémomètre et de sa direction grâce à une girouette.

Ces relevés sont effectués dans des conditions similaires et précises pour que les différentes données soient comparables. Plus elles sont nombreuses, mieux on connaît la situation météorologique du moment.

Un réseau planétaire

On observe donc en permanence le temps qu'il fait sur terre, en mer et dans les airs. Aujourd'hui, les stations météorologiques couvrent une grande partie des continents. Elles sont parfois complétées par des installations radars qui détectent les précipitations. La couverture géographique des océans demeure en revanche incomplète.

Des relevés réguliers

Tous ces renseignements sont relevés toutes les trois heures et communiqués immédiatement aux centres météorologiques du monde entier. Ce système mondial d'observation est supervisé par l'Organisation météorologique mondiale (O.M.M.). Les mêmes mesures sont également effectuées deux fois par jour par des ballons-sondes. Le satellite complète cette panoplie d'observations en offrant une vue panoramique des déplacements nuageux chaque demi-heure.

Les bouées

En mer, les informations sont recueillies par les navires et par des bouées dérivantes ou ancrées.

Le satellite

Placé en orbite à 36 000 km, le satellite d'observation météorologique suit le mouvement de rotation de la Terre. Il est donc positionné en permanence au-dessus d'une région du globe. Le satellite utilise l'infrarouge pour prendre des photos de jour comme de nuit : en détectant les différences de chaleur, il parvient à distinguer le sommet froid d'un nuage par rapport au sol chaud. Ces variations de température déterminent la taille et la densité du nuage.

Le ballon-sonde

Les conditions enregistrées par le ballon sont transmises au sol par radio. Vers 20 000 m d'altitude, le ballon explose. La chute des instruments embarqués est amortie par un parachute, le lieu d'atterrissage étant localisé par G.P.S. (système de positionnement géographique par satellite).

Les avions

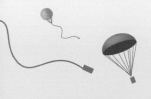

Les avions de ligne embarquent des instruments de mesure météo automatiques. Les relevés sont transmis au sol par radio sans que l'équipage intervienne.

La station météo

Semblables à de grosses boîtes aux lettres, en plastique blanc, les stations météo sont situées à 1,50 m d'un sol gazonné, loin de tout obstacle, conformément aux normes de l'O.M.M. Les instruments de mesure y sont placés à l'abri du soleil et de la pluie, et aérés sans être exposés au vent. La vitesse du vent est mesurée à 10 m de hauteur, à partir d'un pylône placé à côté de la station météo.

Dans le monde il y a :
10 200 stations météorologiques terrestres,
6 700 navires météo,
700 bouées dérivantes,
120 bouées ancrées,
935 stations de radiosondage.

La prévision **numérique**

Prévoir le temps qu'il va faire est une véritable course contre la montre ! Les données sont nombreuses et les calculs longs et fastidieux. Heureusement, l'ordinateur est là pour que la prévision n'arrive pas trop tard et soit fiable.

Les mouvements de l'atmosphère obéissent à des lois physiques complexes. À partir des connaissances accumulées, les scientifiques ont élaboré des modèles : le système atmosphérique est représenté sous la forme d'équations mathématiques.

L'atmosphère en équations

Quand on connaît une situation atmosphérique à un instant donné, on peut donc prévoir son évolution par le calcul. Les nombreuses données d'observation recueillies dans le monde entier servent à résoudre ces équations. Les ordinateurs les plus puissants sont utilisés pour que le calcul soit rapide et que la prévision à 24 heures ne tombe pas 48 heures plus tard…

Le modèle Arpège

Pour matérialiser le résultat mathématique de la prévision, les modèles numériques employés divisent l'atmosphère en boîtes superposées : elles sont de plus en plus hautes et de plus en plus larges à mesure que l'on prend de l'altitude. Plus la boîte est petite, plus la prévision est fine et localisée, mais les calculs sont également plus longs et plus compliqués. Météo-France, qui est chargé des prévisions météorologiques pour notre pays, utilise un modèle, appelé Arpège, qui offre un compromis entre finesse et durée de calcul. Les échelles sont fines sur la France et son environnement proche, et vont en augmentant sur le reste du globe. Le calcul de prévision s'effectue deux fois par jour : à 0h00 et 12h00.

Des prévisions à une semaine

Grâce à de tels modèles numériques, les météorologues peuvent prévoir l'évolution du temps pour toute une semaine, mais la fiabilité des prévisions décroît dans le temps !
Et malgré ces prouesses technologiques, l'intervention humaine est nécessaire : l'ordinateur ne peut pas prendre en compte toutes les particularités géographiques locales. Pourtant, la présence d'une colline ou d'une petite vallée peut influer sur la situation météorologique. Le météorologue doit donc affiner la prévision établie par l'ordinateur.

Présenter la météo au grand public exige de résumer les données fournies par Météo-France en quelques situations générales, expliquées simplement... et rapidement.

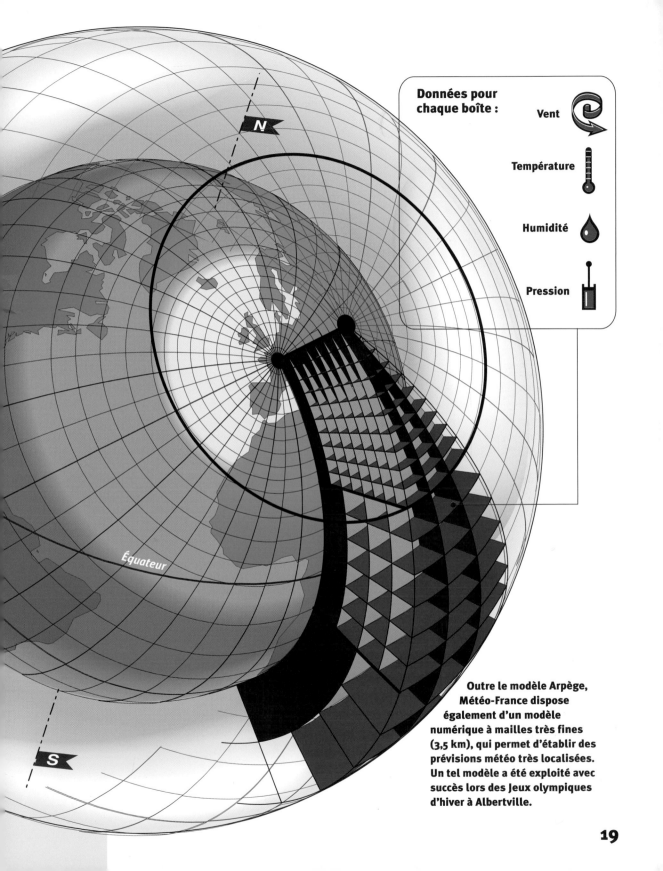

Données pour chaque boîte :

Vent

Température

Humidité

Pression

N

S

Équateur

Outre le modèle Arpège, Météo-France dispose également d'un modèle numérique à mailles très fines (3,5 km), qui permet d'établir des prévisions météo très localisées. Un tel modèle a été exploité avec succès lors des Jeux olympiques d'hiver à Albertville.

Les **erreurs**

La prévision météo est une longue chaîne d'observation, de calcul et d'interprétation qui n'échappe pas aux imperfections, et le comportement de l'atmosphère est si complexe qu'il surprend parfois. Aussi, quand la situation s'écarte de la norme et que le système de prévision est victime de ses faiblesses, l'erreur n'est pas loin...

L'observation, on l'a vu, est une première source d'imprécision : les stations météorologiques ne couvrent pas uniformément la planète et le temps observé ne reflète donc pas fidèlement la réalité. D'autre part, des erreurs peuvent parfois se glisser dans les mesures relevées et venir ainsi fausser le calcul de prévision. Quant au modèle numérique, le choix de l'échelle traitée constitue un compromis entre fiabilité et rapidité qui s'effectue au détriment de la précision.

Des erreurs amplifiées

Les conséquences d'une erreur s'amplifient au fur et à mesure que l'échéance s'allonge : l'erreur peut passer inaperçue dans une prévision à 24 heures et fausser tout le calcul à 4 ou 5 jours !

L'erreur peut enfin se glisser en bout de chaîne, lorsque le prévisionniste traduit en temps sensible (nuage, pluie, neige, soleil) les résultats numériques du modèle. Un écart entre la prévision et l'interprétation peut transformer une averse en orage ou de la pluie en neige !

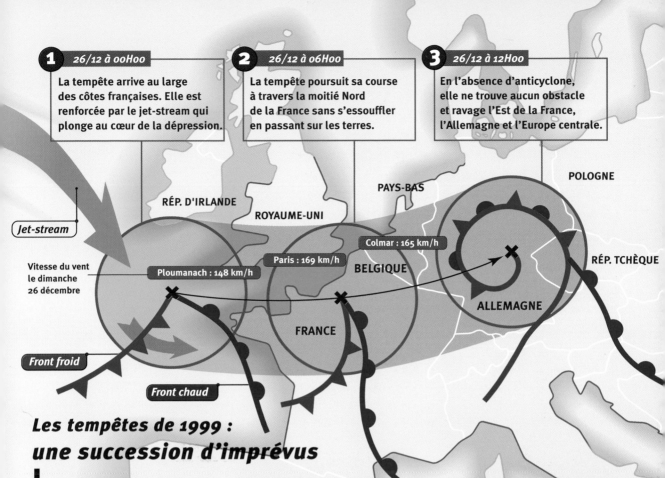

1 26/12 à 00H00
La tempête arrive au large des côtes françaises. Elle est renforcée par le jet-stream qui plonge au cœur de la dépression.

2 26/12 à 06H00
La tempête poursuit sa course à travers la moitié Nord de la France sans s'essouffler en passant sur les terres.

3 26/12 à 12H00
En l'absence d'anticyclone, elle ne trouve aucun obstacle et ravage l'Est de la France, l'Allemagne et l'Europe centrale.

Jet-stream

Vitesse du vent le dimanche 26 décembre

Ploumanach : 148 km/h

Paris : 169 km/h

Colmar : 165 km/h

Front froid

Front chaud

RÉP. D'IRLANDE

ROYAUME-UNI

PAYS-BAS

POLOGNE

BELGIQUE

FRANCE

ALLEMAGNE

RÉP. TCHÈQUE

Les tempêtes de 1999 :
une succession d'imprévus

Les tempêtes qui ont fait rage sur une partie de l'Europe en décembre 1999 se sont formées dans des conditions exceptionnelles. Le 24 décembre 1999, une dépression se forme à 3 000 km des côtes européennes. Le jour de Noël, elle s'approche du continent et gagne en puissance pour se transformer en tempête. Au même moment naît à 2 000 km du littoral portugais une seconde dépression.

Un anticyclone absent

Habituellement, à cette époque de l'année, l'anticyclone positionné sur l'Europe centrale bloque ou atténue ces arrivées d'air océanique perturbé. Or, dans les jours qui précèdent la tempête, le baromètre affiche de basses pressions : la dépression ne rencontre donc aucun obstacle à sa progression.

Le rôle du jet-stream

De plus, en cette fin décembre, les courants d'ouest en altitude sont inhabituellement forts : à 9 000 m d'altitude, le jet-stream souffle à plus de 400 km/h. En plongeant vers l'Europe, cet air sec et rapide va venir renforcer la tempête qui fonce vers les côtes françaises. Dans la nuit du 25 au 26 décembre, en quelques heures à peine, la dépression se creuse à 960 hPa sur l'Ouest de la France ! Au lieu de faiblir sur le continent, comme c'est généralement le cas, la tempête traverse donc le pays à plus de 100 km/h. La seconde dépression a bénéficié des mêmes conditions :

le jet-stream est venu doper et amplifier la puissance de la tempête.

Les failles des modèles

Les services météorologiques ont prévu et annoncé ces tempêtes, mais la vitesse des vents a été sous-estimée. Les modèles numériques de prévision disposent d'un système de détection automatique des données erronées : l'ordinateur élimine ainsi les premières mesures incohérentes par rapport aux précédentes et à la prévision. Ce fut le cas lorsque les vents se sont subitement renforcés dans la nuit du 25 au 26 décembre : dans un premier temps, l'écart de vitesse du vent entre deux relevés a été jugé improbable par l'ordinateur et rejeté en conséquence du calcul de prévision.

Au centre du système solaire,
le Soleil est la source d'énergie du climat
terrestre. La ronde de la Terre autour de l'astre
semble régulière et obéit à une mécanique bien
rodée. Mais les journées se suivent
et ne se ressemblent pas toutes.
La Terre n'a pas toujours joui
du même climat, et la diversité
des milieux géographiques fait écho
aux disparités climatiques
sur notre planète.

Solstice : L'hémisphère Nord, qui célèbre l'été, connaît le jour le plus long, l'hémisphère Sud, où débute l'hiver, le plus court.

Solstice

Hémisphère Nord

Hémisphère Sud

Été

Hiver

La mécanique du climat

Tournant autour de l'astre solaire, la Terre intercepte une partie de son rayonnement. Chaque jour, la planète reçoit du Soleil une moyenne de 342 watts/m^2, mais cette quantité d'énergie varie selon la latitude. La courbure du globe modifie en effet l'angle de réception des rayons : plus on s'éloigne de l'équateur, plus la surface de projection est grande et moins puissante est l'énergie reçue au mètre carré. Ainsi aux pôles, les rayons rasent le sol et n'apportent que très peu de chaleur.

Les saisons

On comprend donc pourquoi il fait plus chaud sous les tropiques qu'aux pôles. Mais la quantité d'énergie solaire reçue en un lieu donné varie également au cours de l'année. La Terre tournant sur elle-même en 24 heures selon un axe de rotation

Le rayonnement solaire couvre au niveau du 45ᵉ parallèle une surface supérieure de 40 % à ce qu'elle est à l'équateur. Mais sa puissance, ramenée au mètre carré, est diminuée de 30 %.

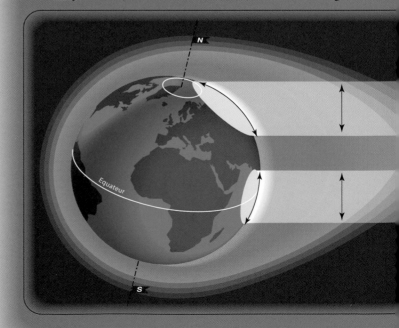

N

Equateur

S

Équinoxe : La durée du jour est égale à celle de la nuit. C'est le printemps pour l'hémisphère Nord, l'automne pour l'hémisphère Sud.

La température à la surface du Soleil est d'environ 6000°C et la Terre tourne autour de l'étoile à une distance de 150 millions de kilomètres.

Hiver

Été

Solstice

Solstice : Dans l'hémisphère Nord, qui entre dans l'hiver, la durée du jour est la plus courte de l'année. Au Sud, l'été commence avec la journée la plus longue.

Équinoxe

Équinoxe : À nouveau le jour égale la nuit. La moitié nord entre dans l'automne, la moitié sud fête le printemps.

Rayon du Soleil éclairant un pôle

Rayon du Soleil éclairant l'équateur

incliné à 23°, l'angle d'exposition aux rayons solaires change au cours de la révolution de la Terre autour du Soleil.

En une année, chaque hémisphère connaît deux maxima : lorsque l'angle de réception du rayonnement est plus ouvert, c'est l'été ; lorsque cet angle se referme, c'est l'hiver. L'inclinaison du globe terrestre est ainsi responsable de l'alternance des saisons, qui sont inversées dans les deux hémisphères.

Variations à long terme

Cette mécanique semble bien huilée mais les apparences sont trompeuses. On pourrait comparer la Terre à une toupie qui tourne sur elle-même autour d'un objet immobile, le Soleil. Dans sa progression, le jouet penche et son axe d'inclinaison tourne lui-même autour d'une verticale. Comme la révolution de la toupie ne décrit pas une boucle régulière autour de l'objet, ses faces ne sont jamais exposées de la même façon vers celui-ci. La situation est identique pour la Terre.

Comme pour la toupie, l'orbite de la Terre n'est pas régulière et l'ellipse qu'elle décrit autour du Soleil est variable. L'inclinaison de la planète est également changeante sur une très longue durée : elle est aujourd'hui de l'ordre de 23°, mais a oscillé au cours des millénaires entre 22 et 25°. Ces 3° d'écart ont des conséquences considérables sur l'ensoleillement et sur le climat.

L'atmosphère

Si la Terre jouit de conditions favorables à la vie, c'est grâce à son atmosphère. Entre le Soleil et la Terre, cette enveloppe gazeuse épaisse de 500 km forme une protection indispensable et garantit l'équilibre climatique.

À peine la moitié du rayonnement émis par le Soleil parvient sur la Terre pour la réchauffer.

En effet, les gaz — principalement le gaz carbonique (CO_2) — et les particules — graines, cendres de volcans ou d'incendies — contenues dans l'atmosphère piègent et renvoient vers l'espace environ 30 % du rayonnement solaire. Les nuages réfléchissent et absorbent également une partie de ce rayonnement, selon leur épaisseur et leur densité.

L'effet de serre

À son tour, la planète émet de la chaleur que l'atmosphère absorbe partiellement. Plus de la moitié de ce rayonnement thermique est réémis vers l'espace. Le reste est rediffusé vers le sol : c'est ce qu'on appelle l'effet de serre.

Ce phénomène naturel permet de maintenir à la surface du globe une température moyenne de 15° C. Sans lui, la température serait de −18° C !

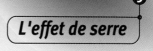

⑤

L'effet de serre

Un équilibre fragile

Au total, l'atmosphère et la Terre renvoient autant d'énergie qu'ils en reçoivent du Soleil : le climat terrestre est équilibré. Mais cette situation est fragile et la modification d'un seul élément de ce système suffirait à modifier le climat global. La Terre peut se refroidir si elle reçoit moins d'énergie du Soleil. En revanche, elle tend à se réchauffer si le rayonnement solaire augmente ou si l'effet de serre s'accroît. C'est ce qui se passe actuellement : les gaz produits par les activités humaines — et notamment le gaz carbonique (CO_2) — renforcent l'effet de serre naturel, contribuant au réchauffement climatique.

Effet de serre extra-terrestre

L'effet de serre existe sur d'autres planètes du système solaire. C'est le cas de Vénus, où en l'absence d'atmosphère, il régnerait une température de -46° Celsius. Sur cette planète, l'air est composé en quasi-totalité de gaz carbonique et la pression est **90** fois supérieure à la nôtre. Résultat : la température au sol est de **477°** Celsius contre **15°** chez nous ! En revanche, sur Mars, avec près de **100 %** de gaz carbonique, mais une pression **150** fois inférieure à la nôtre, le gain de température dû à l'effet de serre n'est que de **6°**...

1- Le Soleil émet vers la Terre de l'énergie, transformée en chaleur.

2- Une partie du rayonnement solaire est piégé par l'atmosphère avant d'atteindre la Terre et renvoyé vers l'espace.

3- Réchauffée par le Soleil, la Terre renvoie de la chaleur vers l'atmosphère.

4- Une partie du rayonnement terrestre traverse l'atmosphère et se perd dans l'espace.

5- Une autre partie de ce rayonnement terrestre est capturé par les nuages et les gaz atmosphériques et rediffusé vers la Terre, qu'il réchauffe : c'est l'effet de serre.

90% de la masse atmosphérique se concentre au-dessous de 16 km d'altitude. La concentration en gaz diminue ensuite à mesure que l'on s'éloigne de la Terre. À tel point qu'au-delà de 130 km, les molécules de gaz n'exercent plus aucun frottement : c'est l'altitude minimum à laquelle on peut placer un satellite en orbite.

L'influence
des surfaces

Par temps chaud et ensoleillé, il est plus
supportable de marcher pieds nus sur de l'herbe
que sur du sable blanc, qui brûle et éblouit.
La différence de température et de réverbération
entre ces deux types de surface s'explique
par leur inégale capacité à absorber
ou à réfléchir les rayons du Soleil. À l'échelle
de la Terre, on retrouve ces disparités...

5 à 10 %

10 à 25 %

Océan

Forêt

25 à 50 %

Désert

10 à 20 %

Zone urbaine

Les différentes surfaces terrestres
n'accueillent pas les rayons du Soleil
de la même manière. Certaines
absorbent le maximum d'énergie
solaire ; d'autres, en revanche, renvoient une grande partie du flux
solaire vers l'espace sans en bénéfi-
cier pleinement.

L'albédo

La proportion de rayonnement
solaire réfléchi et diffusé par la surface terrestre s'appelle l'albédo et
varie considérablement d'un point
à un autre de la planète.
La neige a le plus fort albédo : elle
renvoie 80 à 90 % des rayons du
Soleil. Les pôles, déjà desservis par la
courbure du globe, n'acceptent
donc qu'une faible part du peu

L'influence
des reliefs

80 à 90 %

Glace / neige

Le relief terrestre influe, plus localement, sur le climat. Les chaînes montagneuses qui culminent à plusieurs milliers de mètres freinent ou bloquent le vent et les perturbations. C'est pourquoi les précipitations sont généralement plus abondantes sur les massifs que dans les plaines.

L'effet orographique

La montagne contribue aussi au développement de certains phénomènes violents. Sur les pentes, l'air chaud monte plus rapidement qu'en plaine : c'est l'effet orographique (du grec «oros», montagne). Dans ces conditions très convectives, la formation d'orage est favorisée.

d'énergie solaire reçue... À l'opposé climatique, les zones désertiques ont également un albédo élevé : elles réfléchissent entre le quart et la moitié du flux solaire, ce qui explique le fort contraste thermique entre les journées chaudes et les nuits fraîches.

En revanche, les forêts ne renvoient que 10 à 25 % du rayonnement solaire. Les zones urbaines captent encore mieux cette énergie, en ne réexpédiant que 10 à 20 % des rayons. Enfin, les océans, qui couvrent plus de 70 % de la planète, ont une grande capacité d'absorption et ne rejettent que 5 à 10 % des rayons du Soleil. Les algues, comme les arbres, utilisent l'énergie solaire pour grandir !

L'effet de foehn

En soufflant perpendiculairement à une barrière montagneuse, le vent s'élève contre le relief. En prenant de l'altitude, cet air humide se refroidit et arrive à saturation : le nuage se forme et donne de la pluie. Après avoir libéré l'eau qu'il contenait, l'air se dirige de l'autre côté de la montagne. En descendant, la pression atmosphérique augmente, l'air s'assèche et se réchauffe par compression. Les versants à l'abri du vent jouissent donc de conditions météorologiques plus clémentes, en raison de cet effet de foehn.

Les **courants** **marins**

Amérique du Nord

Océan Pacifique

Amérique latine

Gulf stream

Dérive nord-atlantique

C. du Labrador

Océan Atlantique

L'air et l'eau sont les deux fluides sur Terre dont les mouvements participent aux échanges de chaleur entre l'équateur et les pôles. Plus discrète et encore mal connue, la circulation océanique contribue autant que celle de l'atmosphère à l'équilibre du climat de la planète bleue !

La température de l'eau et sa teneur en sel activent la circulation océanique. Plus l'eau est froide et salée, plus elle est dense et lourde. Aux pôles, où la salinité augmente à cause du sel rejeté quand la glace se forme, l'eau glaciale et fortement salée plonge en profondeur, entre 2 000 et 3 000 m, et se dirige vers l'hémisphère Sud en passant par l'équateur.

Courants profonds et de surface

Aux alentours de 60° de latitude sud, ce courant remonte lentement et s'oriente vers le Pacifique sud et l'océan Indien. Là, il rejoint la circulation de surface propulsée par les

vents. Le Kuroshio dans le Pacifique nord, le courant des Aiguilles dans l'océan Indien et le Gulf Stream pour l'Atlantique nord sont les courants chauds de surface qui transportent cette eau à nouveau vers les pôles.

Un très long voyage

Ce circuit océanique est d'une extrême lenteur. Un volume d'eau froide plongeant dans l'Atlantique nord mettra entre quelques siècles et un millénaire pour remonter vers le Pacifique. Le chemin du retour par les courants chauds sera relativement plus rapide : de quelques dizaines d'années à un siècle selon la route empruntée…

El **Niño**

Tous les 2 à 7 ans, pendant douze à dix-huit mois, les pluies attendues sur l'Indonésie et l'Australie cèdent la place à des sécheresses meurtrières pour aller s'abattre de l'autre côté du Pacifique, sur les côtes sud-américaines.

Le bilan humain et matériel d'El Niño est lourd : récoltes anéanties, incendies dans le Sud-Est asiatique, inondations, glissements de terrain et épidémies au Pérou, au Chili et en Équateur. Les îles du Pacifique essuient des cyclones violents. L'Amérique, le Sud et l'Est de l'Afrique subissent également les effets d'El Niño.

Depuis quelques dizaines d'années, le phénomène, attesté depuis treize mille ans, se renforce et sa violence est imprévisible.

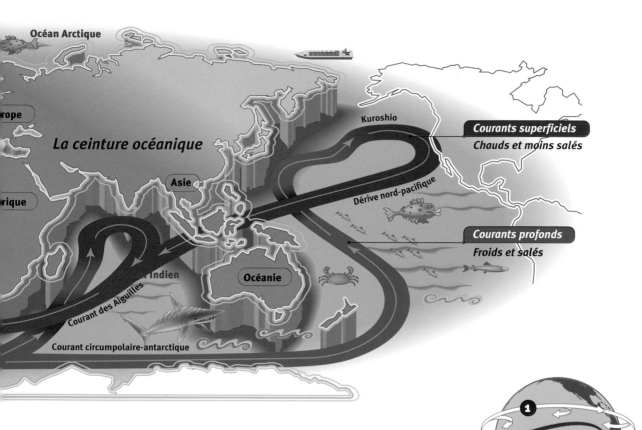

Océan Arctique

La ceinture océanique

Kuroshio

Asie

Dérive nord-pacifique

Courants superficiels
Chauds et moins salés

Courants profonds
Froids et salés

Océan Indien

Océanie

Courant des Aiguilles

Courant circumpolaire-antarctique

1- Les alizés poussent dans le Pacifique sud des eaux chaudes s'écoulant le long de l'équateur, des côtes d'Amérique du Sud vers l'Asie.

2- Tandis que ces courants chauds créent par convection des zones de précipitations sur l'Asie et l'Australie, des eaux profondes et froides remontent du sud sur la côte ouest de l'Amérique du Sud. On nomme ce phénomène upwelling.

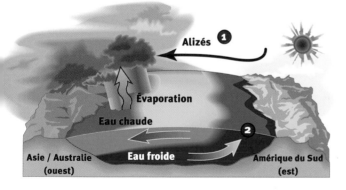

Alizés ❶

Évaporation

Eau chaude

❷

Eau froide

Asie / Australie
(ouest)

Amérique du Sud
(est)

1- Pour des raisons encore méconnues, le baromètre remonte à l'ouest et baisse à l'est. Les alizés faiblissent, voire s'inversent.

2- Les eaux chaudes glissent d'ouest en est, interrompant l'upwelling sur la côte sud-américaine.

3- La température de l'eau de surface augmente de 3 à 8°C. Le phénomène d'évaporation s'accentue, entraînant des pluies diluviennes. En Asie, l'air s'assèche et les pluies manquent cruellement.

❶
Alizés

Évaporation

Eau chaude ❸

❷

Eau froide

Asie / Australie
(ouest)

Amérique du Sud
(est)

Les **climats**

S'il existe un système climatique terrestre, obéissant à des lois générales, la Terre se caractérise par une grande diversité des climats régionaux. Les températures et les précipitations varient beaucoup d'un endroit à un autre. Les régions qui présentent des caractéristiques communes sont regroupées au sein de zones climatiques. À chacune d'entre elles, correspond un type de végétation.

Domaine tempéré

Au-delà des tropiques et jusqu'à 60° de latitude, s'effectue la jonction entre la chaleur des climats tropicaux et la rigueur polaire. Les conditions sont sans excès : dans ce climat tempéré, placé sous l'influence des dépressions, se plaît une végétation à feuilles caduques.

Climat océanique

Pour cette zone, la proximité de l'océan et les vents dominants jouent un rôle important. La côte occidentale de l'Europe, baignée par l'Atlantique et balayée par des courants d'ouest, jouit d'hivers peu rigoureux et d'étés frais : c'est le climat océanique si caractéristique de l'Irlande.

Climat continental

Dans les terres, le contraste des saisons est plus fort : les hivers sont froids, les étés parfois très chauds et secs.

Lyon (France)
Précipitations annuelles : 810 mm/m²
Températures maximales moyennes :
24°C (été) ; 7,5°C (hiver)

Climat continental froid

En poursuivant vers le cercle polaire, les hivers sont de plus en plus rudes et les conifères remplacent les feuillus dans les grandes forêts scandinaves et canadiennes.

Climat méditerranéen

Le climat tempéré prend aussi des accents méditerranéens : douceur hivernale et chaleur estivale.

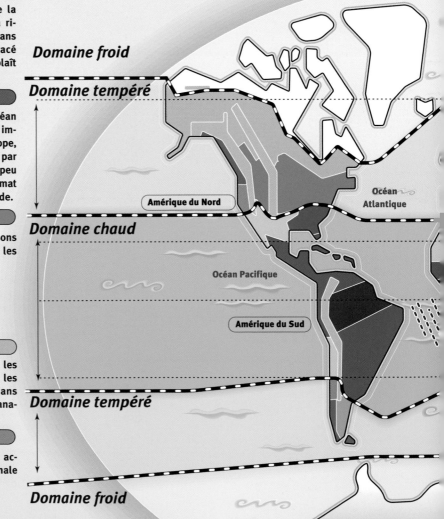

Domaine froid

Domaine tempéré

Amérique du Nord

Océan Atlantique

Domaine chaud

Océan Pacifique

Amérique du Sud

Domaine tempéré

Domaine froid

Climat de montagne

La température baisse avec l'altitude, tandis que les précipitations sont plus abondantes. Ces particularités caractérisent le climat de montagne présent sous toutes les latitudes, des Andes à l'Himalaya, des Alpes au massif africain du Kilimandjaro, que coiffent les neiges éternelles.

Climat polaire

La végétation disparaît pour céder la place aux glaciers et à la banquise.

Jakobshavn (Groenland)
Précipitations annuelles : 259 mm/m²
Températures maximales moyennes :
9°C (été) ; -8°C (hiver)

Domaine chaud

Climat désertique

L'air est sec et les pluies sont rares : moins de 100mm/m² par an. La végétation se raréfie également. Les principaux déserts se situent à proximité des latitudes tropicales : Sahara et désert de Namibie en Afrique ; désert d'Arabie, déserts d'Arizona, du Mexique et d'Atacama en Amérique. Dans le désert de Gobi, qui s'étend de la Mongolie au Xinjiang chinois, si les étés sont torrides, les hivers sont glacials (- 25° C).

Djeddah (Arabie Saoudite)
Précipitations annuelles : 63 mm/m²
Températures maximales moyennes :
40°C (été) ; 33°C (hiver)

Climat équatorial

Chaleur et pluviosité prévalent dans les régions équatoriales, où les alizés gorgés d'humidité finissent leur course. Entre 15° de latitude nord et 15° sud, les records de pluie sont absolus (plus de 1 500 mm/m² dans l'année).
Ces conditions climatiques sont propices au développement d'une végétation luxuriante : c'est le domaine de la forêt amazonienne, guinéenne, congolaise ou de la jungle indonésienne.

Douala (Cameroun)
Précipitations annuelles : 4 110 mm/ m²
Températures maximales moyennes :
31°C (été) ; 29°C (hiver)

Climat tropical

Au voisinage des tropiques, les températures restent chaudes toute l'année mais le climat se caractérise par une saison des pluies d'environ trois mois, contrastant avec la saison sèche.

Tegucigalpa (Honduras)
Précipitations annuelles : 946 mm/m²
Températures maximales moyennes :
28°C (été) ; 26°C (hiver)

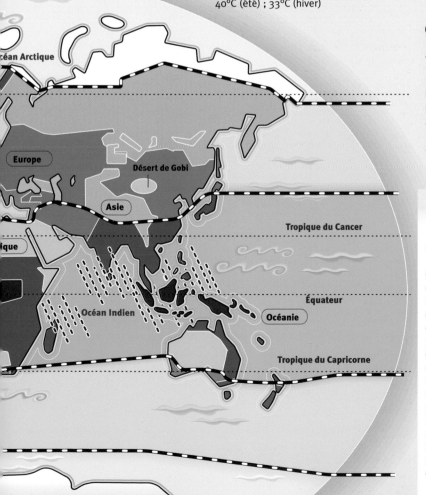

La mousson

C'est une période de pluies intenses qui concerne les régions tropicales. Dès l'arrivée de l'été, les terres se réchauffent plus vite que l'océan. Cet air continental s'élève et est alors remplacé par de l'air marin humide. Les différences de température et d'humidité entre ces deux masses d'air entraînent des précipitations importantes durant plus de trois mois. La mousson la plus caractéristique se produit en Asie méridionale, mais le phénomène se manifeste également en Afrique de l'Ouest. Dans l'hémisphère Sud, les pluies de mousson touchent le Sud-Est de l'Afrique et le Nord de l'Australie.

Les climats d'**hier**

Depuis 4,6 milliards d'années, la Terre a connu le chaud et le froid. Les glaces ont souvent étendu leur emprise jusqu'à des latitudes aujourd'hui tempérées... Heureusement, la planète conserve les « archives » de ces évolutions, ce qui nous permet de comprendre et de retracer une partie de son histoire climatique.

La paléoclimatologie (science de l'étude et de la reconstitution des climats passés) nous a appris que glaciations et périodes interglaciaires alternaient régulièrement depuis un peu plus de 3 millions d'années. Selon les données obtenues par les scientifiques, les glaciations obéissent à des cycles de 21 000 ans, 41 000 ans et 100 000 ans. Depuis 1,8 million d'années, pas moins de 104 glaciations ont été observées !

rieure à celle d'aujourd'hui. Entre ces cycles de froid, le climat se réchauffe et ressemble à celui que nous connaissons actuellement : c'est la période interglaciaire.

Plus proche de nous

Mais les variations du climat ne se limitent pas à ce cycle glaciaire-interglaciaire. Durant la période de réchauffement amorcée il y a 15 000 ans, des fluctuations ont été obser-

Du XVIᵉ au XIXᵉ siècle, en revanche, le climat s'est refroidi, les glaciers alpins ont progressé et les hivers sont devenus plus rudes. Les paysages enneigés des tableaux de l'époque témoignent de cette baisse de la température et ce coup de froid a certainement contribué au déclenchement de la Révolution française à cause des récoltes agricoles désastreuses…

Et dans le futur?

Cependant, les caprices de ces derniers siècles restent modestes comparés au cycle long glaciaire-interglaciaire. La périodicité des glaciations observées par les paléoclimatologues suggère que le climat devrait se refroidir dans quelques siècles ; la prochaine poussée glaciaire interviendrait dans 5 000 à 6 000 ans, suivie d'une seconde plus faible dans quelque 60 000 ans… Mais ce schéma pourrait être bousculé par le réchauffement produit par les émissions humaines de gaz à effet de serre. Les scientifiques sont donc aujourd'hui confrontés à la difficulté de prévoir le devenir de notre climat à long terme…

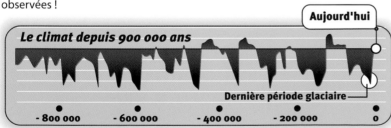

Le climat depuis 900 000 ans — **Aujourd'hui** — **Dernière période glaciaire** — - 800 000 — - 600 000 — - 400 000 — - 200 000 — 0

Le climat joue au yo-yo

Les variations de l'orbite de la Terre et de l'inclinaison de notre planète (voir p. 22-23) suffisent à justifier ces bouleversements climatiques. La dernière glaciation a atteint son maximum il y a environ 20 000 ans, période à laquelle la température était en moyenne de 5 à 6°C infé-

vées. Ainsi, il y a 6 000 à 8 000 ans, la température moyenne du globe était 2 à 3°C supérieure à celle d'aujourd'hui : cette période a été baptisée optimum climatique. Plus perceptible à l'échelle humaine, l'optimum médiéval s'est produit de l'an 900 à l'an 1 200 ; le Groenland était alors verdoyant, le blé poussait en Norvège et la vigne en Angleterre !

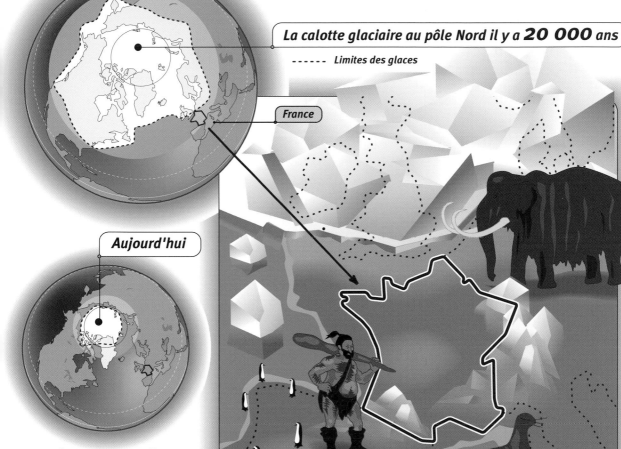

La calotte glaciaire au pôle Nord il y a **20 000** ans

- - - - - Limites des glaces

France

Aujourd'hui

Au maximum de la dernière glaciation (-20 000 ans), les glaces couvraient la mer du Nord et la majeure partie des îles Britanniques. Le niveau océanique, diminué du volume d'eau pris par ces glaciers, était plus bas qu'aujourd'hui de près de 120 m. L'Angleterre était ainsi reliée au continent par la terre ferme et la future baie du Mont-Saint-Michel était située à 300 km de l'Atlantique... dont la température ne dépassait pas 6 à 7°C en été ! Les glaciers envahissaient les Pyrénées et les Alpes et la température à Lyon était inférieure de 12°C par rapport à aujourd'hui ! A cette époque, l'homme de Cro-Magnon côtoyait les mammouths, les aurochs, les bisons et les rennes, il taillait la pierre et peignait la grotte de Lascaux.

Au fil des millénaires, les glaces emprisonnent des débris minéraux, végétaux et des bulles d'air. En prélevant des échantillons (carottage) sur plusieurs dizaines, voire quelques centaines de mètres de profondeur, on peut analyser la composition de ces fragments, qui traduit les conditions climatiques à l'époque où ils ont été piégés : l'étude des couches successives permet d'établir une chronologie. La paléoclimatologie étudie également les carottes de sédiments marins : les variétés et les quantités de micro-organismes déposés au fond des océans donnent une idée précise de la température de la mer (au degré près) dans le passé. De plus, les pollens contenus dans les carottes (océaniques et continentales) aident à reconstituer la végétation d'alors (palynologie) et à en déduire le climat qui l'accompagnait. Ces techniques permettent de remonter jusqu'à **6** millions d'années sans interruption et jusqu'à **60** millions d'années pour les grands accidents climatiques.

Pourquoi

Activité solaire

La puissance du Soleil varie selon un cycle d'environ onze ans. Au maximum de son activité, l'astre présente des taches plus nombreuses à sa surface, les éruptions se multiplient et son champ magnétique s'intensifie. Mais l'amplitude de la luminosité solaire au cours de ces périodes est trop faible (0,15 %) pour établir une quelconque relation entre les cycles solaires et les variations climatiques terrestres.

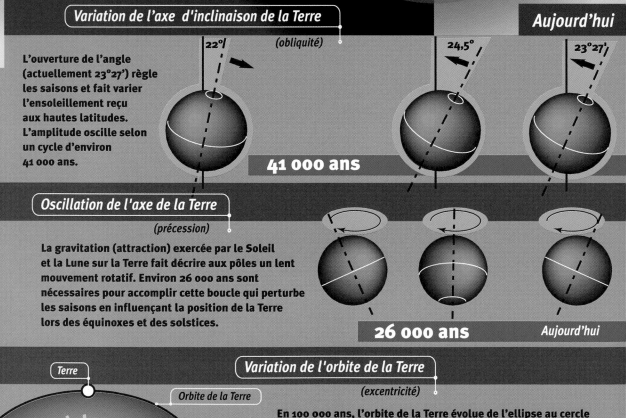

Variation de l'axe d'inclinaison de la Terre

Aujourd'hui

L'ouverture de l'angle (actuellement 23°27') règle les saisons et fait varier l'ensoleillement reçu aux hautes latitudes. L'amplitude oscille selon un cycle d'environ 41 000 ans.

22°/   (obliquité)   24,5°   23°27'

41 000 ans

Oscillation de l'axe de la Terre

(précession)

La gravitation (attraction) exercée par le Soleil et la Lune sur la Terre fait décrire aux pôles un lent mouvement rotatif. Environ 26 000 ans sont nécessaires pour accomplir cette boucle qui perturbe les saisons en influençant la position de la Terre lors des équinoxes et des solstices.

26 000 ans   *Aujourd'hui*

Variation de l'orbite de la Terre

Terre

Orbite de la Terre

(excentricité)

En 100 000 ans, l'orbite de la Terre évolue de l'ellipse au cercle parfait. Actuellement, dans l'hémisphère Nord, la distance Terre - Soleil est minimale en hiver et maximale en été. Cette configuration adoucit les hivers et rafraîchit les étés. Dans l'hémisphère Sud, la situation est inversée (hivers plus rigoureux, étés plus torrides).

100 000 ans

le climat change

La danse de la Terre autour du Soleil ne bat pas toujours la mesure comme un métronome. En effectuant un pas de trois sous le projecteur solaire, tout naturellement, le climat ne tourne pas toujours rond...

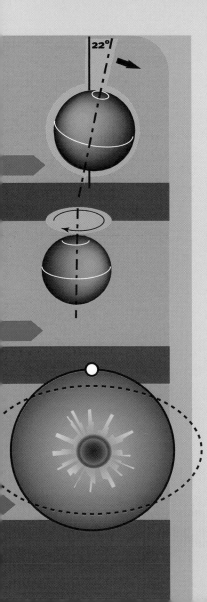

L'attraction des planètes du système solaire entre elles modifie, au cours des millénaires, le mouvement et la position de la Terre autour du Soleil. Trois variations de déplacement contribuent à souffler le chaud et le froid sur notre climat.

L'excentricité

Au cours de sa révolution autour de l'étoile solaire, notre planète décrit une trajectoire allant du cercle parfait à l'ellipse légèrement aplatie et excentrée. Quand la distance Terre - Soleil varie, l'ensoleillement reçu fluctue. Les saisons sont plus ou moins contrastées.

L'obliquité

L'inclinaison de l'axe de rotation de la Terre, responsable de la succession des saisons, est également variable. L'amplitude de l'angle est de + ou – 1°30', ce qui réduit ou augmente très sensiblement l'ensoleillement sous les hautes latitudes.

La précession

Enfin, pour simplifier le tout, l'axe de rotation de la Terre tourne lui-même autour d'une verticale perpendiculaire au plan de l'orbite Terre – Soleil (ce qu'on appelle l'écliptique) et

Activité volcanique

Les cendres propulsées par les éruptions réduisent le rayonnement solaire pendant quelques mois. En revanche, le gaz sulfureux émis par le volcan s'associe à la vapeur d'eau de l'atmosphère pour constituer des microgouttelettes d'acide sulfurique. Celles-ci réfléchissent considérablement les rayons du Soleil vers l'espace, durant plusieurs années : ce qui entraîne un refroidissement durable.

module l'énergie solaire reçue selon les régions du globe.

Mécanique céleste et climat

Le mathématicien yougoslave Milutin Milankovitch a établi en 1924 le lien entre ces variations et celles du climat : quand la conjugaison des différents mouvements entraîne une diminution de l'ensoleillement sur les hautes latitudes de l'hémisphère Nord en été, la neige tombée en hiver ne fond plus et augmente le réfléchissement des rayons solaires. Un processus de refroidissement s'amorce alors, déclenchant un cycle de glaciation.

35

Les climatologues sont unanimes : d'ici 2100, la Terre se réchauffera de 1,5°C à 6°C. S'ils voient juste, cette hausse de température devrait avoir de lourdes conséquences et modifier le visage de la planète.
Les équilibres écologiques comme les conditions de vie en seraient bouleversés. Ce réchauffement climatique, déjà amorcé, est lié à l'augmentation de l'effet de serre... dû lui-même aux activités de l'Homme.

Les perspectives **climatiques**

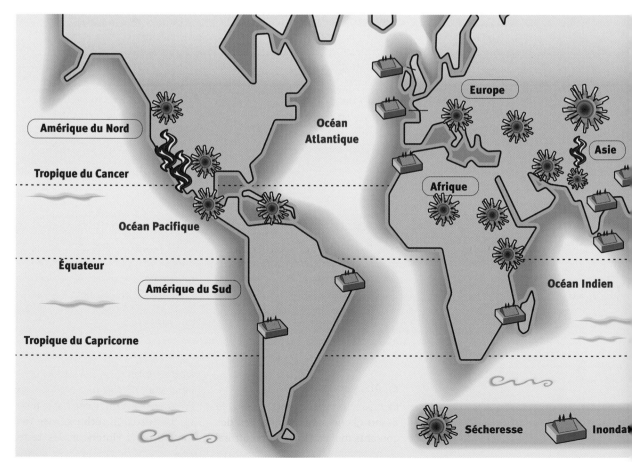

Amérique du Nord

Océan Atlantique

Europe

Asie

Tropique du Cancer

Afrique

Océan Pacifique

Équateur

Amérique du Sud

Océan Indien

Tropique du Capricorne

Sécheresse   Inondat

Les 2 000 experts issus du monde entier, réunis au sein du Groupe Intergouvernemental sur l'Évolution du Climat (G.I.E.C.), ont établi, en 2000, le scénario des bouleversements que risque d'entraîner le réchauffement climatique prévu.

La montée des eaux

La fonte des glaces et la dilatation de l'eau par la chaleur contribueront à une élévation du niveau des océans estimée entre 14 et 80 cm. Dans l'hypothèse moyenne, elle serait de 47 cm : certaines îles du Pacifique et de l'océan Indien seraient alors

Océanie

Feux de forêts

rayées de la carte et de nombreuses régions côtières, densément peuplées, submergées.

Les courants marins qui assurent l'équilibre climatique actuel seront également perturbés par les changements de température et de salinité. Les précipitations augmenteront sous les latitudes boréales, tandis que les régions subtropicales s'assécheront encore davantage.

La vie chamboulée

Dans ces nouvelles conditions climatiques, la végétation migrera vers le nord, et donc également la faune, mais aussi certaines maladies infectieuses. Les populations humaines risquent évidemment de voir leur environnement agricole et économique, leur situation alimentaire et sanitaire profondément modifiés. De l'avis de tous, les pays en voie de développement — donc les plus pauvres — seront les moins aptes à s'adapter, faute de moyens…

En Europe

Les glaciers alpins disparaîtront. Les sols gelés en profondeur (permafrost) dégèleront et la forêt remplacera la toundra. En France, la végétation des régions méridionales pourrait franchir la Loire.

Si les pluies seront plus abondantes sur le Nord du continent et augmenteront la productivité agricole, en revanche, le Sud de l'Europe s'asséchera.

En Afrique

Les précipitations diminuant, le désert gagnera. La modification des courants marins chassera du littoral certains poissons. Le changement

climatique réduira encore les ressources alimentaires, souvent insuffisantes déjà. Les maladies infectieuses (fièvre jaune, dengue, malaria) s'étendront.

En Amérique du Nord

Les sécheresses de plus en plus fréquentes sur l'Ouest, le Sud et le Centre diminueront les productions de céréales et accentueront les risques d'incendies. Les plaines du Nord et du Nord-Ouest bénéficieront d'un climat plus doux et plus humide.

En Amérique du Sud

Un climat plus chaud et moins pluvieux réduira la production agricole au Mexique, au Brésil et au Chili. Les glaciers des Andes fondront. L'Amérique du Sud méridionale essuiera des tempêtes plus fréquentes mais sera plus fertile. Les maladies contagieuses graves progresseront.

En Asie

Les glaciers himalayens régresseront. Tandis que les ressources en eau vont baisser dans les régions tropicales, l'Asie septentrionale plus arrosée et radoucie augmentera sa production agricole. Les maladies infectieuses progresseront.

En Océanie

Le contraste climatique sera accentué. Les tempêtes seront plus violentes sur les côtes d'Australie et les îles du Pacifique sud, dont l'existence est menacée par la montée des eaux. La sécheresse se renforcera dans l'intérieur des terres australiennes.

L'augmentation
de l'effet
de serre

**C'est désormais une certitude :
si la Terre se réchauffe, c'est en grande
partie à cause du renforcement de l'effet
de serre. En altérant la composition
de l'atmosphère, l'Homme bouleverse
le climat et double la Nature...
Un phénomène inédit dans l'histoire
de la planète !**

La température moyenne de la Terre est conditionnée, nous l'avons vu, par l'effet de serre (voir p. 24-25). Or, depuis la Révolution industrielle survenue dans les pays européens au milieu du XIXe siècle, les activités humaines n'ont cessé de produire toujours plus de gaz qui viennent renforcer ce phénomène naturel.

Ça chauffe

Le réchauffement est déjà sensible : la température moyenne a augmenté de 0,4 à 0,6°C depuis 1860. Ces quelques dixièmes de degré ont suffi à faire régresser les glaciers un peu partout, en particulier aux pôles. Le niveau moyen des mers s'est élevé de 10 à 20 cm durant le siècle

écoulé, ce qui est dix fois plus important qu'au cours des trois mille dernières années ! On comprend que les perspectives soient plutôt sombres (voir p. 36-37) : le système climatique est déstabilisé...

Les responsables

Les principaux gaz à effet de serre sont le dioxyde de carbone (CO_2 ou gaz carbonique), le méthane et l'oxyde nitreux. Ce dernier est produit par les engrais azotés utilisés pour les cultures. Le méthane émane essentiellement des exploitations agricoles, notamment les rizières et les élevages de bovins. Son augmentation dans l'atmosphère est liée à l'explosion démo-

graphique intervenue depuis la Révolution industrielle et à l'intensification de l'agriculture.

L'ennemi numéro un

Le gaz carbonique est considéré comme le responsable principal de l'effet de serre. Les causes de son augmentation dans l'air sont doubles. Le CO_2 se dégage massivement de la combustion des énergies fossiles (pétrole, charbon, gaz naturel), considérablement accrue depuis 1860. Sa concentration dans l'atmosphère est aujourd'hui supérieure de près de 40 % au maximum enregistré au cours des 400 000 dernières années ! La seconde cause est la déforestation qui réduit les capa-

38

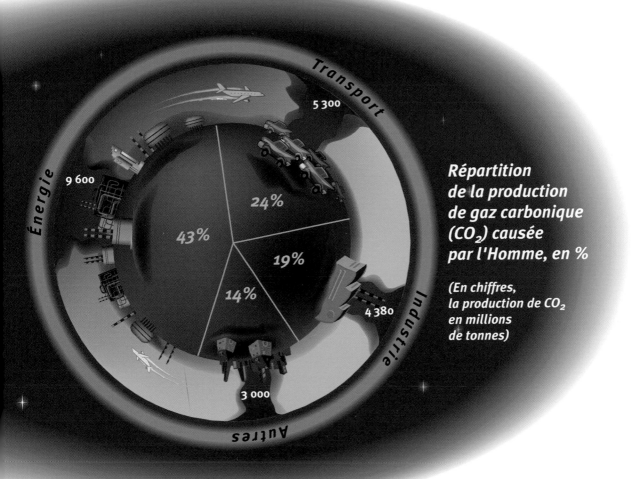

Transport

5 300

Énergie

9 600

24 %

43 %

19 %

14 %

4 380

Industrie

3 000

Autres

Répartition de la production de gaz carbonique (CO_2) causée par l'Homme, en %

(En chiffres, la production de CO_2 en millions de tonnes)

cités d'absorption du gaz carbonique par photosynthèse. Chaque année, 1 % des forêts tropicales sont détruites. Le recyclage du CO_2 en est diminué, tandis que la fumée engendrée par les feux de défrichage expulse vers l'atmosphère… encore plus de CO_2.

L'inconnue océanique

Reste les océans pour absorber nos émanations. On estime qu'ils récupèrent environ 40 % du gaz carbonique produit par les hommes, mais leur gourmandise en CO_2 est encore bien mal connue… Peut-être a-t-elle des limites.

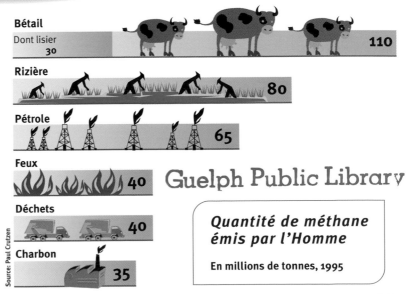

Source: Paul Crutzen

Bétail
Dont lisier 30
110

Rizière
80

Pétrole
65

Feux
40

Déchets
40

Charbon
35

Quantité de méthane émis par l'Homme

En millions de tonnes, 1995

Des faits et des chiffres

Les données climatologiques confirment le rôle des gaz à effet de serre dans le réchauffement. La corrélation entre la hausse du taux de dioxyde de carbone dans l'air, l'augmentation des températures et celle de la consommation d'énergies fossiles ne peut être fortuite.

Concentration de CO_2 dans l'atmosphère depuis 300 000 ans et depuis 1860

Au cours de ces 300 000 dernières années, les courbes de concentration atmosphérique de dioxyde de carbone (CO_2, principal gaz à effet de serre) et de la température ont toujours varié parallèlement.

Au plus fort des périodes glaciaires, la teneur en CO_2 plafonnait à 200 ppm (parties par million). En revanche, lors du dernier épisode interglaciaire, il y a 130 000 ans, il faisait un peu plus chaud qu'aujourd'hui et le taux de CO_2 atteignait 295 ppm.

Au début de la Révolution industrielle (1860), le dioxyde de carbone était à 280 ppm. Sa concentration a atteint 367 ppm : du jamais vu depuis au moins 400 000 ans ! D'ici la fin du XXIe siècle, elle pourrait, selon les estimations, atteindre près de 1 000 ppm !

– 300 000 ans

– 200 000 ans

– 100 000 ans

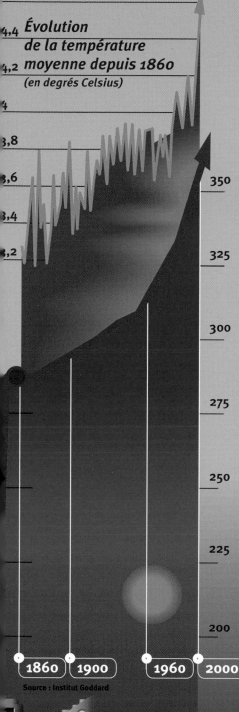

Évolution de la température moyenne depuis 1860
(en degrés Celsius)

4,6
4,4
4,2
4
3,8
3,6
3,4
3,2

350
325
300
275
250
225
200

1860 1900 1960 2000

Source : Institut Goddard

Émission de CO_2 par combustible
(en % et en millions de tonnes)

La révolution énergétique qu'a représentée l'utilisation de combustibles fossiles se trouve à l'origine de cette évolution. Aujourd'hui, la combustion de pétrole, de charbon — et de gaz dans une moindre mesure — est responsable pour plus des deux tiers de l'augmentation de la teneur atmosphérique en CO_2. Or, ces énergies représentent toujours 80% de la consommation énergétique mondiale.

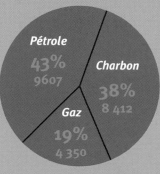

Pétrole
43%
9607

Charbon
38%
8 412

Gaz
19%
4 350

Source : AIE

Les gaz responsables de l'effet de serre
(en %)

L'effet de serre dépend des quantités de gaz présentes dans l'atmosphère, mais également du pouvoir d'absorption des radiations infrarouges (émises par la Terre) de chacun d'eux.

Le CO_2 contribue davantage à l'effet de serre par sa concentration que par son pouvoir d'absorption, qui est relativement faible. En revanche, d'autres gaz comme les CFC (chlorofluorocarbones : gaz isolants, réfrigérants et aérosols) n'existent qu'à l'état de traces dans l'atmosphère, mais ont un pouvoir d'absorption 10 000 fois supérieur au CO_2. Celui des oxydes nitreux (engrais principalement) est 270 fois supérieur à la capacité du CO_2.

CFC
17%

Méthane
15%

Divers
7%

Oxyde nitreux
6%

Dioxyde de carbone
43%

Source : GN

Durées de vie des gaz dans l'atmosphère:

CO_2 : 50 à 200 ans
Méthane (CH_4) : environ 10 ans
Fréons (dont CFC) : 60 à 520 ans
Oxyde nitreux (N_2O) : 150 ans

41

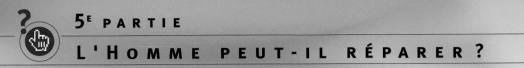
La nécessité de réduire les émissions de gaz à effet de serre fait (presque) l'unanimité. Mais cela exige des efforts de la part de tous : les États comme les particuliers. Car c'est notre façon de vivre, de produire et de consommer qu'il faut modifier. Les répercussions économiques d'une telle remise en cause freinent toutefois la volonté des nations.

À problème global solution mondiale

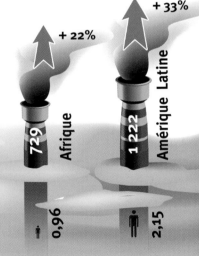

Alertés par les scientifiques, les responsables politiques réunis pour un Sommet de la Terre à Rio de Janeiro (Brésil) en 1992 avaient dressé la liste des pays industrialisés qui devaient réduire leurs rejets. C'était un premier pas.

Sur qui doit peser l'effort ?

Mais cette union se fissurera rapidement. D'une part, les pays européens estiment que les États responsables de l'augmentation des gaz à effet de serre depuis la Révolution industrielle doivent admettre la révision de leur politique énergétique. D'autre part, les États-Unis rechignent à reconsidérer leur système, basé sur l'énergie fossile mais économiquement confortable. Ils souhaitent que les pays en développement s'associent à l'effort des pays industrialisés : ce que refuse l'Union Européenne, pour ne pas déstabiliser les économies encore fragiles de ces pays du Sud.

Loi du marché ou fiscalité ?

Les avis divergent également sur les moyens à employer. Les Européens préconisent l'instauration de taxes sur les industries polluantes (éco-fiscalité), qui inciteraient celles-ci à adopter des technologies plus propres. Les États-Unis, épaulés par l'Australie et la Nouvelle-Zélande, plaident pour la mise en place de permis d'émissions négociables, sorte de « permis de polluer » : les pays et les industries les plus pollueurs achèteraient à d'autres pays des quotas de pollution… L'économie rattrape l'écologie !

Le protocole de Kyoto

Le second pas sera donc plus hésitant, mais il est franchi en 1997 à Kyoto au Japon. Un protocole est signé, qui prévoit une réduction moyenne de 5,2 % des émissions de gaz à effet de serre d'ici à 2010, par rapport au niveau de 1990.

Cette décision concerne 38 États industrialisés et admet le principe de droits d'émissions négociables. Pourtant, il faudra attendre juillet 2001 pour que les États s'entendent sur la mise en œuvre du protocole. Le texte adopté à Bonn (Allemagne) est un compromis : les pays les plus industrialisés pourront acheter des droits d'émission supplémentaire aux moins avancés, à condition qu'ils leur transmettent leurs technologies

Quantité de gaz à effet de serre émise dans le monde

En millions de tonnes

La progression depuis 10 ans, en %

Production de CO_2 par habitant, en 1998

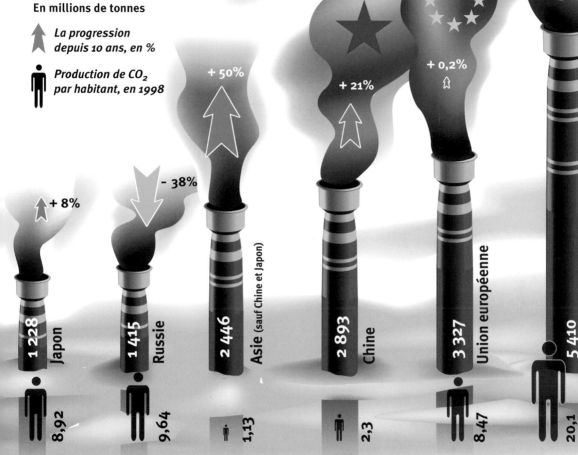

+ 8%	– 38%	+ 50%	+ 21%	+ 0,2%	+ 12%
1 228	1 415	2 446	2 893	3 327	5 410
Japon	Russie	Asie (sauf Chine et Japon)	Chine	Union européenne	États-Unis
8,92	9,64	1,13	2,3	8,47	20,1

Source : AIE, Unfccc

propres. Les pays du Sud bénéficie- ront également d'aides financières pour s'adapter aux changements climatiques. Un organe de contrôle est créé pour évaluer si les pays ont enfreint leurs engagements.

L'absence des États-Unis

L'accord de Bonn s'est cependant conclu sans les États-Unis. Le 14 mars 2001, le président américain, George W. Bush, avait en effet décidé de ne pas réglementer les émissions de CO_2 dans son pays ! Il cédait ainsi à la pression de l'industrie énergétique américaine (50 % de l'électricité y est fournie par des centrales à charbon).

L'urgence

Sans la participation du plus grand pollueur de la Terre, les efforts de réduction seront évidemment limités. Les objectifs de Kyoto apparaissent d'autant plus difficiles à atteindre que bien du temps a été perdu : en 2000, les émissions françaises étaient de 3 à 4 % supé- rieures à ce qu'elles étaient en 1990. Aux États-Unis, si la tendance actuelle se poursuit, elles auront augmenté de 28 % en 2010 ! En 1992, Maurice Strong, le secrétaire général du Sommet de la Terre, avait pourtant déclaré : « Si nous n'agissons pas vite et fort, la nature le fera de façon bien plus brutale… »

43

Quelques pistes pour réduire nos émissions
de gaz à effet de serre

Pour que le fond de l'air soit moins carboné, de nouveaux choix énergétiques s'imposent. Les énergies alternatives existent, mais demeurent peu développées. Et la solution passe également par les économies d'énergie !

Énergie hydroélectrique

L'eau alimente les centrales par retenue (barrages) et les usines marémotrices (utilisant l'énergie des marées). Cependant, des arguments écologiques (destruction du milieu naturel) et humains (déplacements de population) sont fréquemment opposés aux projets de barrages ; mais les microcentrales hydroélectriques constituent une alternative prometteuse.

Énergie solaire

Le Soleil est généreux : la quantité d'énergie que nous recevons de lui est 10 000 fois supérieure à notre consommation mondiale ! Mais son énergie est très diffuse. Les cellules photovoltaïques (panneaux solaires) permettent de capter ses rayons pour les convertir en électricité ; les chauffe-eau solaires se développent également dans l'habitat.

Combustion de la biomasse

La combustion de la biomasse (déchets végétaux, animaux, agricoles, ménagers et industriels) sert à produire de la chaleur et de l'électricité. C'est d'ailleurs l'une des principales sources d'énergie dans les pays pauvres. Les technologies modernes permettent de réduire les émissions de carbone liées à son utilisation. Certaines méthodes permettent même d'employer des végétaux pour fabriquer du gaz ou du carburant. Le biodiésel s'élabore ainsi à partir du colza, du lin ou du tournesol.

Éolienne

L'énergie du vent est intarissable et propre mais intermittente. La puissance des éoliennes s'est améliorée et cette filière est en forte croissance au

Géothermie

La température de l'écorce terrestre croît de 3°C tous les 100 m : la géothermie exploite cette chaleur en injectant de l'eau en profondeur. La vapeur remonte ensuite à la surface pour alimenter une centrale électrique ou assurer directement le chauffage des habitations. Performantes, les installations géothermiques se multiplient dans le monde.

niveau mondial. À la fin de ce siècle, elle pourrait tenir une place équivalente à celle de l'hydroélectricité.

Nucléaire

L'énergie nucléaire, actuellement remise en cause dans plusieurs pays, demeure toutefois incontournable car elle n'émet pas de gaz à effet de serre et offre un volume de production considérable (17 % de l'électricité mondiale et 80 % en France !). Un réacteur « nouvelle génération » plus facilement exploitable et plus sûr est en ce moment à l'étude. Mais la question du stockage des déchets doit être résolue.

La chasse au gaspillage

Mais, si nous produisons plus proprement, consommons également à bon escient. Chaque calorie brûlée inutilement renforce l'effet de serre. Pour ne pas céder à l'énergie facile, chacun de nous devra changer certaines habitudes, notamment dans les déplacements motorisés. L'usage des transports en commun, le covoiturage, les nouvelles motorisations (électrique, hydrogène) et la promotion du transport ferroviaire des marchandises vont dans ce sens. Et sur les trajets courts, préférez le vélo ! L'essoufflement d'un cycliste dégagera beaucoup moins de CO_2 qu'une auto au ralenti... Remplacer un éclairage traditionnel par une ampoule basse consommation, utiliser du papier recyclé, réduire ses déchets, privilégier les appareils électroménagers les plus économes ou isoler thermiquement sa maison réduira les rejets de gaz à effet de serre.

En 2020, nous serons 8 milliards sur Terre et les besoins en énergie ne cesseront de croître. Aujourd'hui, chacun doit être conscient de ses responsabilités pour relever le défi !

Covoiturage

Transports en commun

Vélo

Voiture électrique

Voiture à hydrogène

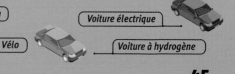

Albédo : fraction de la lumière et de l'énergie reçues du Soleil que réfléchit ou diffuse un corps ou une surface non lumineuse.

Alizé : vent régulier soufflant des hautes pressions subtropicales aux basses pressions équatoriales, à une vitesse moyenne de 20 km/h. Les alizés des deux hémisphères convergent au voisinage de l'équateur et apportent des pluies sur les côtes orientales des continents.

Anticyclone : zone de hautes pressions atmosphériques (plus de 1 013 hPa).

Atmosphère : enveloppe constituée de gaz et de particules en suspension qui entoure la Terre. Elle est composée principalement d'azote (N_2, 78 % des molécules d'air sec), d'oxygène (O_2, 21 %), également d'argon, d'ozone, de gaz carbonique et de vapeur d'eau… Les réactions chimiques entre ces gaz permettent la vie sur Terre, tandis que les mouvements physiques de l'atmosphère déterminent les climats terrestres.

Cellule convective : système de circulation verticale des vents. La circulation générale de l'atmosphère peut être représentée par trois paires de cellules : les cellules polaires, celles des latitudes moyennes (cellules de Ferrel) et les cellules tropicales (cellules de Hadley).

Cyclone : dépression tropicale prenant la forme d'un tourbillon de grande ampleur (200 à 900 km de diamètre) et s'accompagnant de vents violents et de précipitations importantes. Les cyclones sont appelés typhons en Extrême-Orient et hurricanes en Amérique du Nord. L'O.M.M. leur donne à chacun un prénom, dont la liste est fixée selon l'océan d'origine, les cyclones naissant dans l'océan Indien étant quant à eux numérotés.

Dépression : zone de basses pressions atmosphériques (moins de 1 013 hPa).

Effet de serre : phénomène naturel par lequel une partie de la chaleur que diffuse la Terre vers l'atmosphère est renvoyée vers la planète par les nuages et les gaz dits à effet de serre. L'apport de chaleur dû à l'effet de serre est de 33°C. L'augmentation de certains gaz produits par les activités humaines, en renforçant l'effet naturel, contribue au réchauffement climatique.

El Niño : nom donné par les pêcheurs péruviens au dérèglement climatique qui survient, tous les deux à sept ans, au moment de Noël (d'où ce terme signifiant « l'enfant Jésus ») dans le Pacifique. On sait, grâce aux données accumulées par les satellites et un réseau de bouées déployées dans l'océan, que ce renversement des eaux chaudes de surface vers l'est est dû à l'arrêt, voire parfois l'inversion des alizés. Mais l'origine première du phénomène — océanique, atmosphérique ou liée à l'activité solaire ? — demeure une énigme.

Énergie fossile : énergie produite par la combustion ou la fission de matières fossiles (pétrole, charbon, gaz naturel, uranium) issues de la transformation des roches terrestres.

Énergie renouvelable : énergie utilisant des sources naturelles inépuisables (rayonnement solaire, vent) ou pouvant se renouveler (eau, bois…).

Équateur : cercle de la Terre perpendiculaire à son axe de rotation et à égale distance des pôles. À l'équateur, le Soleil est toujours proche de la verticale. L'équateur céleste est un cercle déterminé par les astronomes et parallèle à l'équateur terrestre.

Équinoxe : moment de l'année où le Soleil coupe l'équateur céleste. La durée du jour est alors égale à celle de la nuit en tout point de la Terre.

Force de Coriolis : mise en évidence par le mathématicien français Gaspard Gustave de Coriolis (1792-1843), cette force centrifuge due à la rotation de la Terre fait dévier la circulation atmosphérique, vers l'est dans l'hémisphère Nord, vers l'ouest dans l'hémisphère Sud.

Front atmosphérique : zone de contact, inclinée et ondulée, entre deux masses d'air. Deux fronts accompagnent généralement les dépressions, un front chaud à l'avant, un front froid à l'arrière de la dépression.

Glaciation : période de l'histoire climatique de la Terre pendant laquelle les glaces s'étendent, le climat se refroidissant. Nous sommes actuellement dans une période interglaciaire, commencée il y a environ 15 000 ans.

Isobares : courbes joignant les points de même pression atmosphérique à un moment donné.

Jet-stream ou courant-jet : vent puissant (de 80 km/h à plus de 400 km/h) circulant entre 30° et 45° de latitude, à plus de 8 km d'altitude. Les modifications de trajectoire et d'intensité de ce courant aérien, large de 1 000 km environ et épais de 4 à 7 km, influencent le temps qu'il fait sur la planète.

Marée de tempête : brusque élévation du niveau de la mer provoquée par un cyclone. Les vagues géantes, pouvant atteindre 30 m, balaient l'intérieur des terres, détruisant tout sur leur passage. De semblables raz-de-marée peuvent être causés par les séismes ou les éruptions volcaniques. Les Japonais appellent le phénomène « tsunami ».

Météo-France : établissement public français ayant pour mission l'étude et la prévision météorologiques.

Météorologie : étude des phénomènes atmosphériques.

Mousson : courant atmosphérique, associé à des pluies abondantes, survenant dans la zone intertropicale au début de l'été et se prolongeant durant trois mois. La mousson la plus caractéristique se produit en Asie méridionale, mais le phénomène touche également l'Afrique de l'Ouest, et dans l'hémisphère Sud, le Sud-Est de l'Afrique et le Nord de l'Australie.

Nuages : ensemble de particules d'eau très fines, formé par la condensation ou la congélation de la vapeur d'eau atmosphérique. On distingue dix types de nuages selon leur développement et leur altitude (voir ci-contre).

Orbite : trajectoire courbe empruntée sous l'effet de la gravitation par une planète ou un satellite autour d'un autre corps céleste de plus grande masse. L'orbite de la Terre autour du Soleil a la forme d'une ellipse que la planète parcourt, dans le sens inverse des aiguilles d'une montre, en une année (révolution).

Organisation météorologique mondiale ou O.M.M. : fondée en 1951, cette organisation spécialisée des Nations-Unies a pour but de favoriser la coopération internationale pour la mise en place de réseaux mondiaux d'observation météorologique et hydrologique.

Réchauffement climatique : augmentation de la température moyenne de la Terre, entraînant un nouvel équilibre climatique.

Photosynthèse : processus par lequel les végétaux et certaines bactéries, en utilisant la lumière du Soleil, transforment l'eau et le gaz carbonique présents dans l'atmosphère en substances nutritives. Le processus s'accompagne d'un rejet d'oxygène dans l'atmosphère.

Terre (pluie, brouillard, neige, grêle, rosée). La répartition des précipitations dans l'espace et le temps constitue la pluviométrie d'un lieu, mesurée par un pluviomètre.

Pression atmosphérique : pression exercée par le poids d'une colonne d'air sur une surface. Elle se mesure à l'aide d'un baromètre et s'exprime en hectopascals (hPa). La pression normale au niveau de la mer est de 1 013 hPa, ce qui correspond au poids exercé par une colonne de mercure haute de 760 mm.

Solstice : moment de l'année où le Soleil est le plus haut ou le plus bas par rapport au plan de l'équateur. La position la plus haute correspond à une durée de jour maximale ; la position la plus basse à une durée minimale.

Les différents types de nuages

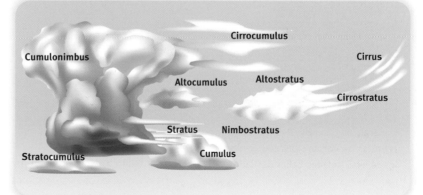

Pôle : point d'intersection de l'axe de la rotation de la Terre avec sa surface. La rotation de la Terre autour de son axe détermine la durée du jour.

Précipitations : ensemble des formes sous lesquelles l'eau contenue dans l'atmosphère se dépose à la surface de la

Tropique : parallèle de latitude 23°26' le long duquel le Soleil passe au zénith (à la verticale) à chacun des solstices. Entre le tropique du Cancer dans l'hémisphère Nord et le tropique du Capricorne dans l'hémisphère Sud s'étend la zone intertropicale, où le Soleil peut passer au zénith au cours de l'année.